Textes intégraux

Conception graphique Marie Pécastaing et Flammarion

Éditions Flammarion (n° L.01EJDN000879.N001)
87, quai Panhard-et-Levassor, 75647 Paris Cedex 13
www.editions.flammarion.com
Dépôt légal : mars 2013 – ISBN : 978-2-0812-8526-2
Imprimé en Chine par Toppan en décembre 2012
Loi n°49-956 du 16 juillet 1949 sur les publications destinées à la jeunesse

Mes premières histoires du Père Castor dès 3 ans

Père Castor ◾ Flammarion

Sommaire

Loup ne sait pas compter . . . . p. 8
Histoire de Nadine Brun-Cosme, illustrée par Nathalie Choux

J'ai un énorme bobo . . . . p. 18
Histoire de Geneviève Noël, illustrée par Hervé Le Goff

Le doudou perdu d'Océane . . . . p. 26
Histoire de Kochka, illustrée par Claire Delvaux

Le petit lapin malin . . . . p. 36
Histoire de Robert Giraud, illustrée par Vanessa Gautier

La sieste de Moussa . . . . .p. 44
Histoire de Zemanel, illustrée par Madeleine Brunelet

Petit Âne veut être un loup . . . . .p. 52
Histoire de Marie-Hélène Delval, illustrée par Sébastien Pelon

À table ! . . . . .p. 62
Histoire de Nadine Brun-Cosme, illustrée par Maud Legrand

Tu m'aimes, dis ? . . . . .p. 70
Histoire de Simone Schmitzberger, illustrée par Anne Letuffe

Loup ne sait pas compter

Raconté par Nadine Brun-Cosme
Illustré par Nathalie Choux

Ce matin-là, Loup en a assez de courir
après les lapins, les vaches et les cochons.
Ce matin-là, Loup a envie de jouer.

Alors, au premier loup qui passe, il crie :
- Eh, Loup Gris ! On joue ?
- Chic ! dit Loup Gris. J'adore jouer !
Jouons à cache-cache !
Tu comptes jusqu'à dix, moi je me cache !

Tout content, Loup se met à compter.
- **Un deux, trois...**

Mais voilà. Après trois, il ne sait pas.
- Eh ! crie Loup. Après trois, qu'est-ce qu'il y a ?

Mais Loup Gris est parti se cacher bien trop loin, il n'entend rien.
- Eh ! crie Loup encore plus fort.
Après trois, qu'est-ce qu'il y a ?

Loup crie si fort que Lapin montre son nez.

Loup le connaît bien : il l'a beaucoup chassé sans jamais l'attraper !

- Tiens ! dit Lapin. Aujourd'hui tu ne m'attrapes pas ?

- Non ! dit Loup. Aujourd'hui je compte.

- Et tu comptes quoi ? dit Lapin.

- Je compte quoi ? Je compte quoi ? s'énerve Loup. Je compte « **un, deux trois** ».
Là, tu vois ? Mais... Lapin, dis-moi : après trois, qu'est-ce qu'il y a ?

- Après trois ? dit Lapin. Après trois, tu ne sais pas ?

Et Lapin se met à rire, à rire si fort qu'il en tombe par terre.

- Ha ! ha ! ha ! Loup ne sait pas compter !

- Chut ! Pas si fort ! dit Loup vexé.

Et il s'en va compter plus loin.

« Un, deux, trois... »

Passe alors Cochon.
Loup le connaît bien : il l'a souvent cherché sans jamais l'attraper.
- Tiens ! dit Cochon. Aujourd'hui, tu ne m'attrapes pas ?
- Non, dit Loup. Aujourd'hui, je compte !
- Et... tu comptes quoi ?
- Je compte, quoi, dit Loup qui s'énerve un peu. « Un, deux, trois »,
je compte, tu vois. Mais... Cochon, dis-moi, après trois, qu'est-ce qu'il y a ?
- Après trois ? dit Cochon. Après trois, tu ne sais pas ?

Et Cochon part d'un grand rire, et il crie ;
- Loup ne sait pas compter ! Loup ne sait pas compter !
- Chut ! fait Loup très contrarié.

Et il s'en va compter plus loin.

« Un, deux, trois… »

C'est maintenant Vache qui montre son museau.
Loup la connaît bien : il l'a tellement guettée sans jamais l'attraper.
- Tiens, Loup ! dit Vache. Aujourd'hui, tu ne m'attrapes pas ?
- Non, dit Loup. Aujourd'hui, je compte !
Tu vois bien : **« un, deux, trois »**. Voilà, je compte.

- **Un, deux, trois,** dit Vache. Et… c'est tout ?
- C'est tout.
- Bon, dit Vache. **Un, deux, trois**. Pourquoi pas.

Et comme elle commence à s'en aller, Loup murmure :
- Mais… dis-moi, Vache : après trois, qu'est-ce qu'il y a ?

- Après trois ? dit Vache. Après trois, tu ne sais pas ? Mais Loup, tu ne sais pas compter !

Et Vache part d'un gros rire, d'un si gros rire qu'elle tombe par terre,
d'un si gros rire que Lapin et Cochon, qui n'étaient pas loin,
se joignent à elle pour rire aussi.

- C'en est trop ! hurle Loup.
Et il bondit.

Et pour la première fois, il attrape Vache. Et il crie :
- Si vous ne m'aidez pas, je mange Vache !

- Bon bon bon, dit Cochon. Lâche Vache, on va t'apprendre.
Et il se met à chantonner :
- **Un, deux, trois, nous irons au bois...** Répète ! dit-il à Loup.

- **Un, deux, trois, nous irons au bois**, chantonne Loup.
Et il lâche Vache. Et il s'assied par terre.

- **Quatre, cinq, six, cueillir des cerises...**, chantonne Lapin.
Répète, Loup !
Et il s'assied un peu plus loin.

- **Quatre, cinq, six, cueillir des cerises...**, chantonne Loup.
Et il sourit, parce que c'est rigolo l'idée
d'un loup qui s'en va au bois
pour cueillir des cerises.

– **Sept, huit, neuf, dans un panier neuf...**, chantonne Vache. Répète, Loup !
Et elle s'assied près de Lapin pour mieux voir Loup,
parce qu'elle n'a jamais vu un loup qui sourit.

– **Sept, huit, neuf, dans un panier neuf...**, chantonne Loup.
Et il sent le rire le gagner, parce qu'un loup qui porte un panier,
ça, vraiment, il n'en a jamais vu !

– **Dix, onze, douze, elles seront toutes rouges !**
chantent ensemble Vache, Cochon, Lapin.
Répète, Loup !

Et Loup répète, en riant bien fort :
–**Dix, onze, douze, elles seront
toutes rouges !**

- Et alors, crie Loup Gris qui surgit tout à coup.
Mais qu'est-ce que tu fabriques ?

Et puis il voit Loup, et tout autour Vache, Lapin, Cochon. Et il s'élance.
Aussitôt, Vache, Lapin et Cochon prennent leurs pattes à leur cou, et disparaissent.

- Mais, mais, mais... dit Loup Gris, tu les avais tous attrapés.
- C'est pour ça que j'étais si long. Qu'est-ce que tu crois ?
À cause de toi, voilà, ils se sont échappés. Il n'y a plus qu'à recommencer !
Va te cacher ! crie Loup bien fort. Je compte !

Loup Gris s'éloigne tout penaud.
Alors Loup respire un grand coup, et tout haut,
pour que tout le monde l'entende,
Il compte fièrement :

**– Un, deux, trois, quatre, cinq, six, sept,
huit, neuf, dix, onze et douze !**

J'ai un énorme bobo

Raconté par Geneviève Noël
Illustré par Hervé Le Goff

Aujourd'hui, Mélanie pédale à toute vitesse sur son tricycle neuf.
Mais, au milieu du jardin, elle bute contre son ballon rouge, et se retrouve par terre.
– Méchant ballon, c'est de ta faute ! grogne Mélanie en frottant
le minuscule bobo qui orne son genou.

Et **ZOU !** elle lance le ballon en l'air. Le ballon monte haut, très haut dans le ciel.

Tout près de là, Papa Souris coupe des fleurs avec un gros sécateur.

Le ballon redescend, redescend...

... et **BING!** tombe sur la tête de Papa Souris
Il grogne :
– **KESKECÉ?**

Alors Mélanie s'accroche au bras de son papa :
– Papounet, j'ai mal au genou !

Papa Souris est très en colère. Ses yeux lancent des éclairs.
Il n'écoute pas Mélanie, et crie :
– Si j'attrape le petit monstre qui a lancé ce ballon, je vais lui tirer les oreilles.

Mélanie devient rouge comme une tomate. Elle proteste :
– C'est même pas vrai ! J'suis pas un monstre.

Et elle rentre chez elle en boitillant.

En passant devant le salon, elle voit sa maman lever les bras :
"Une deux, une deux", en respirant très fort.
Mélanie hésite, puis elle se dit :
« Je vais soigner mon énorme bobo toute seule.
Et quand Papa et Maman verront mes pansements, ils diront :
on s'est pas bien occupé de notre Mélanie chérie. »

Vite, Mélanie court s'enfermer dans la salle de bains.
Mais **ZUT alors !** les pansements sont rangés là-haut sur l'étagère...
et Mélanie est toute petite, minuscule.
Alors, Mélanie grimpe sur une chaise, elle se met sur la pointe des pattes,
et réussit à attraper la boîte de pansements.

La petite souris colle un pansement sur son genou,
et puis un deuxième, et un troisième aussi.
Comme ça, l'énorme bobo s'en ira à toute vitesse !

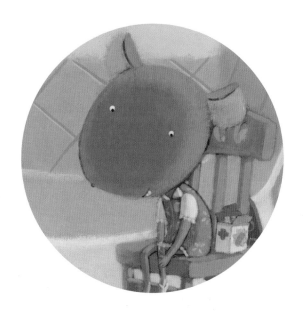

En se regardant dans la glace, Mélanie découvre
un minuscule bouton au bout de son nez.
Alors elle met un gros pansement dessus.
Puis, **hop !** elle sort une bande d'un tiroir,
et l'enroule sur sa tête pour avoir l'air très malade.

Très fière, elle se dit :
« Je sais faire les pansements comme une grande ! »

À cet instant, Papa Souris entre dans la salle de bains en disant :
– **OUILLE !** J'ai une épine dans le doigt !

Puis il bafouille en voyant Mélanie :
– Ma sou... souricette en sucre roux s'est fait mal !

Aussitôt, Mélanie saute dans les bras de son papa :

– T'inquiète pas Papounet ! Je suis un vrai docteur,
et j'ai soigné toute seule mon énorme bobo.
Alors je vais mettre un pansement sur ton doigt,
et ton bobo s'en ira au galop !

Le doudou perdu d'Océane

Raconté par Kochka
Illustré par Claire Delvaux

Chaque matin, en entrant dans la classe,
les enfants déposent leurs doudous dans un grand panier.
Mais, après les vacances de Pâques, la maîtresse Nadia leur dit :
– L'année prochaine en CP, vous ne pourrez pas les emmener ;
alors, il faut vous habituer à les laisser à la maison.
Donc, demain, si le grand panier est vide, à sa place,
je vous promets une surprise !

Le lendemain, un doudou dort dans le panier.
– C'est le mien, dit Océane avec une toute petite voix.
– Océane, murmure la maîtresse en se penchant à son oreille,
si tu libères le panier, demain, on installera un théâtre.

À l'heure de la sortie, les mamans discutent en marchant devant.

Jean et Nico se moquent de la petite Océane :

– Océane est un bébé-eu, elle a toujours son doudou-eu.

Océane est très vexée. Elle leur dit :

– Non, c'est pas vrai !

– Alors jette-le ! dit Nico en passant devant une poubelle.

– Oui jette-le ! répète Jean.

Alors Océane jette son lapin et les mamans ne voient rien.

La nuit tombe sur le lapin et la poubelle, quand Clara sort de chez elle.

Clara est aussi à la maternelle, mais elle ne connaît presque pas Océane
qui n'est pas dans la même classe.

– Dépêche-toi ! lui dit sa sœur en la tirant derrière elle. La boulangerie va fermer !

Mais à cet instant, Clara voit une oreille qui dépasse de la poubelle.

– Regarde, crie-t-elle, il y a un doudou jeté !

– On n'a pas le temps, lui répond Anabelle. Et, on ne ramasse pas dans les poubelles !

De retour à la maison, Clara saute sur sa maman !

– Maman, Maman, il y a une oreille dans la poubelle du réverbère.
Il faut aller voir qui c'est !

– Une oreille ? s'étonne Maman.

– Oui Maman, une oreille de doudou !

– Tu en es sûre ? demande Maman. Attends, je mets mes souliers.

Cinq minutes après, Maman et Clara reviennent avec un petit lapin crotté.

– Qu'il est sale ! dit Maman en le fourrant dans la machine à laver.

La machine commence à tourner.
– **Tête en haut**, chante Clara ; **tête en bas** ; **tête en haut** ; **tête en bas**.

LAPIN DE NANE POUR LA VIE

Une heure plus tard, Maman ouvre le hublot.

Le lapin atterrit dans une bassine.

– Maman ! crie Clara, regarde, c'est écrit dans son oreille !

Maman attrape le lapin et lit : « Lapin de Nane pour la vie ».

Dans l'autre oreille, un nom plus long est effacé.

« Pauvre petit lapin mouillé, pense Clara. Et pauvre Nane toute triste. »

De son côté dans sa maison, Océane n'arrive pas à s'endormir.
– Enfin Nane, où as-tu mis ce lapin ? s'énerve sa maman en fouillant l'appartement.

Océane éclate en sanglots :
– Il est dans la poubelle de la rue...

Quand elle comprend toute l'histoire sa maman part en courant.
Hélas, dehors, les poubelles de la rue sont vides, et le lapin n'est plus là.

Le lendemain, Océane est complètement fatiguée.
Sa maman voit la maîtresse devant l'école.
Elle lui raconte ce qui s'est passé.

Mais justement, Clara arrive avec sa maman et,
en entendant quelques mots de leur conversation,
elle comprend que le petit nom d'océane, c'est Nane !
– J'ai ton doudou ! crie-t-elle. Il est avec mon doudou !
Le visage d'Océane s'éclaire.

Puis Océane, Clara et les deux mamans courent chercher le petit lapin sauvé !

Sur le lit de Clara, un lapin aux grandes oreilles discute avec des peluches.

Océane se précipite et le prend dans les bras.

– Tu sais, lui dit Clara en attrapant son doudou Crapounet,

les doudous n'aiment pas l'école ; ils ont peur de se perdre.

Moi, le mien ne quitte jamais mon lit !

Océane s'étonne :

– Mais tu n'as pas peur qu'il soit triste sans toi ?

– Non, répond Clara, il n'est pas seul, il s'occupe. Et le soir, quand je rentre,

il saute dans mes bras comme ça : **BING !** Et après, on a plein de choses à se raconter !

Le petit lapin malin

Raconté par Robert Giraud
Illustré par Vanessa Gautier

Un jeune lapin aimait bien venir jouer au bord du lac, dans l'ombre d'un grand arbre.
Il courait après les papillons et se roulait dans l'herbe tendre.
Mais un jour, des hommes vinrent et abattirent l'arbre pour se fabriquer une pirogue.

Il ne resta de l'arbre qu'une souche bien lisse,
où apparurent des gouttes de résine dorée.
Le petit lapin se dit que la souche serait
un endroit commode pour se reposer.
Il y grimpa d'un bond et s'y installa.

Un peu plus tard, le petit lapin en eut assez d'être assis et essaya de se relever.
Mais pas moyen de détacher son derrière ! Il prit peur.

Il se voyait déjà condamné à mourir sur cette souche,
sans pouvoir aller manger de l'herbe ni boire de l'eau du lac.

Cependant, le petit lapin n'était pas du genre à se laisser abattre.
Il se dit qu'il devait réfléchir et qu'ainsi il trouverait peut-être une solution.
Il ferma même les yeux pour ne pas être dérangé
par les oiseaux multicolores qui voletaient tout autour.

Le lapin fut tiré de ses réflexions par un grand bruit.
C'était un gros éléphant qui se dirigeait vers le lac
en faisant craquer les branches et en écrasant les buissons.
Il faisait très chaud et l'éléphant avait très soif.

Le petit lapin interpella l'énorme animal :
– Je t'interdis de boire cette eau, éléphant ! Elle est à moi et à moi seul !

Sans prêter la moindre attention au lapin, l'éléphant plongea sa trompe dans l'eau.

– Dis donc, toi, s'énerva le lapin, tu ne comprends pas ce que je te dis ?
Si je suis planté sur cette souche, c'est pour empêcher les animaux
de venir boire mon eau sans ma permission.

Indifférent à ses paroles, l'éléphant continuait à pomper l'eau avec sa trompe.

Le lapin se fâcha et cria, en faisant de grands gestes de ses pattes de devant :
– Si tu ne m'obéis pas, j'arracherai ta trompe et je casserai tes défenses !
Tu m'entends ? Va-t'en tout de suite !

L'éléphant éclata de rire et, comme il avait assez bu,
il commença à s'asperger d'eau avec sa trompe.

– Il n'y a pas de quoi rire, insista le petit lapin.
Tu riras moins quand je t'aurai arraché la trompe
et cassé les défenses !

L'éléphant s'approcha du lapin et lui jeta un regard méprisant :

– Tu n'es qu'un bavard et un vantard ! Si je te marche dessus, je te réduirai en bouillie.

– C'est moi qui vais te réduire en bouillie, si tu continues ! répliqua le petit lapin.

Alors, l'éléphant allongea sa trompe, souleva le petit lapin et l'expédia dans l'herbe.

– Allez, décampe ! lui cria-t-il. Et à l'avenir ne dis plus de bêtises !

Trop content d'avoir retrouvé sa liberté, le petit lapin se mit à danser autour de la souche.
Il n'avait même pas vu que sa queue y était restée collée !

Quant à l'éléphant, sans plus lui prêter attention, il repartit dans la forêt.

Et c'est depuis ce temps-là que les lapins ont une toute petite queue.

La sieste de Moussa

Raconté par Zemanel
Illustré par Madeleine Brunelet

Couché dans son lit, Moussa est bien fatigué, ses yeux sont presque fermés.

Soudain il entend un bruit qui vient le déranger :
ça grignote et ça crie, c'est une souris.
Moussa se lève et lui demande gentiment :
– Veux-tu bien partir pour que je puisse dormir ?

Mais la souris refuse et continue de crier et de grignoter.
Avec un bruit comme ça, Moussa ne s'endort pas.

Il appelle alors son chat qui accourt à petits pas.

La souris disparaît aussitôt qu'elle le voit.

Moussa retourne dans son lit.
Mais il entend toujours du bruit : ça ronronne et ça griffe,
c'est le chat qui s'étire sur son matelas.

Moussa se lève et lui demande gentiment :
- Veux-tu bien t'en aller pour que je puisse me reposer ?

Mais le chat refuse et continue de griffer et de ronronner.
Avec un bruit comme ça, Moussa ne s'endort pas.

Il siffle alors son chien qui se poste à l'entrée.
Le chat s'enfuit par la fenêtre sans chercher à discuter.

Moussa retourne dans son lit.
Mais il entend toujours du bruit : ça jappe et ça aboie,
c'est le chien qui mordille ses jouets en bois.

Moussa se lève et lui demande gentiment :
- Veux-tu bien aller te promener pour que je puisse sommeiller ?

Mais le chien refuse et continue de japper et d'aboyer.
Avec un bruit comme ça, Moussa ne s'endort pas.
Il demande alors l'aide du lion qui arrive en trois bonds.
Le chien décampe sans poser de question.

Moussa retourne dans son lit.
Mais il entend toujours du bruit : ça remue et ça rugit,
c'est le lion qui tourne en rond.

Moussa lui demande gentiment :
- Veux-tu bien aller chasser pour que je puisse me relaxer ?

Mais le lion refuse et continue de rugir et de tourner en rond.
Avec un bruit comme ça, Moussa ne s'endort pas

Il fait alors appel à l'éléphant
qui s'approche à pas lents.
Le lion n'insiste pas et file comme le vent.
Moussa retourne dans son lit.

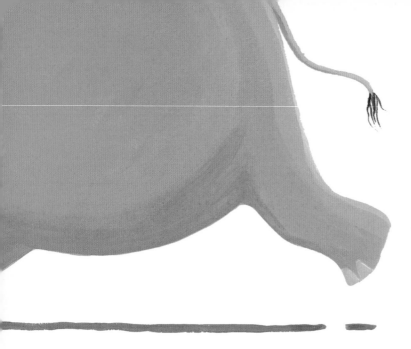

Mais un éléphant, même très sage, cela fait beaucoup de bruit :
ça souffle et ça barrit, ça écrase tout sur son passage.

Moussa lui demande gentiment :
– Veux-tu bien te pousser pour que je puisse respirer ?

Mais l'éléphant refuse et continue de barrir et de souffler.
Avec un bruit comme ça, Moussa ne s'endort pas.

Moussa ne sait plus quoi faire.
Alors il réfléchit et décide de rappeler la petite souris.

L'éléphant se carapate sans tarder, car chacun sait
que la terreur des éléphants, c'est la souris évidemment !

Moussa peut enfin commencer à rêver.
Il y a toujours des petits bruits de souris
mais, comparés à des bruits d'éléphant,
ils sont beaucoup moins gênants !

Petit Âne veut être un loup

Raconté par Marie-Hélène Delval
Illustré par Sébastien Pelon

Il était une fois un petit âne qui voulait absolument être un loup.

Il disait à ses amis du pré :

– Je peux très bien être un loup ! Si, si ! Regardez-moi !

Un loup, c'est gris. Moi aussi ! Un loup a des oreilles pointues. Moi aussi !

Les miennes sont un peu longues, c'est vrai.

Eh bien, je serai le loup-aux-longues-oreilles, voilà tout !

Ses amis du pré s'étonnaient :

– Pourquoi veux-tu donc être un loup ? C'est méchant, un loup !

Nous, on ne veut pas de loup dans notre pré !

Le petit âne frappait du sabot, tout fâché.
– Vous ne comprenez rien ! Si j'étais un loup, on aurait peur de moi.
Et personne ne viendrait nous embêter !

Les amis du pré secouaient la tête, et soupiraient :
– Voyons, Petit Âne, personne ne vient jamais nous embêter !

Alors, le petit âne s'en allait au bout du pré, tout seul,
et il s'entraînait à hurler comme un loup.
Mais au lieu de braire comme font les ânes
« **Hi han ! Hi han !** » il braillait « **Hi hou ! Hi hou !** »

Et ses amis du pré se bouchaient les oreilles
parce que ce n'était pas joli à entendre ce « **Hi hou ! Hi hou !** »
qui n'était ni un cri d'âne, ni un cri de loup !

Mais voilà qu'un jour, ou plutôt une nuit, un loup, un vrai,
un énorme loup gris, saute par-dessus la barrière,
et entre dans le pré.

Tout le monde dort dans le pré.
L'agneau et le lapin, la taupe et la perdrix, la grenouille et la souris.
Et le petit âne aussi, tout seul, dans son coin.

Le loup a une faim de loup. Il se dit :
« En apéritif, je croque la grenouille et la souris.
En entrée, je déguste le lapin.
L'agneau me fera un bon plat.
Et au dessert, je déguste la taupe et la perdrix. »

Le loup s'approche à pas de loup. Il se pourlèche déjà les babines.
Il n'a pas vu le petit âne qui dort tout seul, à l'autre bout du pré,
en rêvant qu'il est un loup.

Et, tout d'un coup, c'est la panique dans le pré !

La grenouille, qui a l'oreille fine, entend des pas de loup.
Elle ouvre un œil, elle se met à coasser :
– **Coâ ! Coâ !** Qu'est-ce que c'est ?

Et voilà la souris qui se met à couiner, la perdrix à piailler, l'agneau à bêler.

Ça réveille la taupe et le lapin.

Et tous, ils courent en rond, complètement affolés.

Là-bas, à l'autre bout du pré, le petit âne se réveille à son tour.
Il pense qu'il est encore en train de rêver.
Et, dans son rêve, il est un loup.
Alors il bondit.

Et juste au moment où le loup pose la patte sur la souris,
le petit âne surgit devant lui en braillant :
– **Hi hou ! Hi hou !** Qu'est-ce que tu fais là, toi ?
Il y a déjà un loup, dans ce pré, et c'est moi !

Le petit âne agite ses longues oreilles,
il donne des coups de sabot sans cesser de brailler.
« Hi hou ! Hi hou ! »

Le loup est terrifié.
Jamais il n'a vu un aussi grand loup gris,
avec d'aussi longues oreilles !
Jamais il n'a entendu un loup
qui hurle aussi affreusement !

Le loup lâche la souris, et il s'enfuit tout au fond du bois
en se jurant que jamais, plus jamais,
il ne remettra les pattes dans ce pré!

Tous les amis entourent le petit âne, et ils lui disent:
– Tu avais raison, Petit Âne!
Tu peux vraiment être un loup! Tu en es un, oui, oui!
Un loup-aux-longues-oreilles qui hurle comme un loup!

Mais, maintenant, le petit âne est tout à fait réveillé.
Il est très étonné. Il dit :
– Un loup, moi ? Mais non ! Je suis un petit âne !
J'ai un bon coup de sabot, c'est vrai.
Mais je ne hurle pas comme un loup, écoutez !

Petit Âne se met à braire. **« Hi han ! Hi han ! »**

Et, là-bas, au fond du bois, le vrai loup se bouche les oreilles, terrifié, parce qu'il ne veut plus entendre hurler l'effrayant loup-aux-longues-oreilles qui habite dans le pré !

À table !

Raconté par Nadine Brun-Cosme
Illustré par Maud Legrand

Le soir, Maman demande :
- Qui va mettre la table ?

Léo sourit, tend son doigt et dit :
- **Plouf !** Un, deux, trois, ce sera… toi !
Et c'est bizarre, parce qu'à chaque fois,
ça tombe sur Papa…

À table, quand le plat est fin, Papa demande :
- Qui enlève les grandes assiettes pour qu'on mange le dessert ?

Léo sourit, tend son doigt et dit :
- **Plouf plouf !** Un deux, trois ce sera... toi ! Et c'est curieux,
parce qu'à chaque fois, ça tombe sur Maman...

Et au dessert, quand Maman et Papa demandent :
- Qui aura la plus grosse part du gâteau ?
Léo sourit, tend son doigt et dit :
- **Plouf plouf plouf !** Ce sera toi qui mangeras !
Et à chaque fois, la grosse part, c'est... pour Léo !

Alors ce soir, Maman dit :
- Léo, s'il te plaît, veux-tu mettre la table ?
- Attends Maman, dit Léo, pour le moment j'ai pas le temps !
- Pas le temps ? dit Maman. Tu peux quand même arrêter de jouer !

Elle soupire et pose les assiettes sur la table.
- Pas le temps ? dit Papa. Tu peux quand même aider !

Ce soir, après les pâtes, Papa dit :
- Léo, s'il te plaît, porte ton assiette dans l'évier.
- Attends Papa, dit Léo, j'ai pas encore fini !
- Pas fini ? dit Papa. Il reste juste trois pâtes
au fond de ton assiette !
- Pas fini ? dit Maman. Dépêche-toi donc !

Elle prend la grande assiette de Papa, sa grande assiette à elle,
et elle les nettoie dans l'évier en fronçant les sourcils.

Alors ce soir, quand arrive le dessert,
personne ne demande qui aura la plus grosse part.
Ni Papa ni Maman.

Léo regarde Papa. Léo regarde Maman. Il murmure :
- La plus grosse part, c'est pour qui ?
- Je ne sais pas, dit Papa. Tu n'auras sûrement pas le temps,
c'est tellement grand !
- Et, dit Maman, tu n'as même pas encore fini tes pâtes !

Alors, Léo regarde sa grande assiette.

Il mange la pâte qui reste.

Puis il se lève et va porter son assiette dans l'évier.

Quand il revient, dans son assiette à dessert,
il y a la plus grosse part du gâteau.
Il regarde Maman. Il regarde Papa.
Ils sourient.
Léo dit :
- Ce soir, Papa, je vais faire la vaisselle avec toi.
Et il attaque son gâteau à belles dents !

Tu m'aimes, dis?

Raconté par Simone Schmitzberger
Illustré par Anne Letuffe

– Dis, Maman, tu m'aimes ?
– Oui, je t'aime, Petit Ourson.

– Pourquoi tu m'aimes ?
– Parce que tu es doux et bien chaud,
que tu sens bon la noisette...

– Et pourquoi encore ?
– Parce que tu as des étoiles dans les yeux quand je dis ça !
Parce que tu es mon petit ourson chéri !

– Et Linours, tu l'aimes ?
– Oui, j'aime Linours.

– Pourquoi tu aimes Linours ? Elle est pas ta petite chérie, elle ?
– Je l'aime parce qu'elle est ta copine.
– Tu l'aimes autant que moi ?
– Non, tu sais bien que je t'aime plus que tes copines !

– Et Loursane, tu l'aimes ?

– Bien sûr que j'aime Loursane !

– Pourquoi tu l'aimes, c'est pas ma copine ?

– Petit fou, j'aime Loursane parce qu'elle est ma soeur !
Nous avons la même maman.
Tu sais, quand nous étions petites, nous dormions dans le même lit…

– Comme toi et Papa ?

– Oui, comme Papa et moi… mais, ce n'est pas tout à fait pareil…
Papa et moi, nous n'avons pas la même maman !

– C'est qui ta maman ?

– Mais tu le sais bien, c'est Mamie-Gâtours !

– Alors… pourquoi tu aimes Papa ?
Vous n'avez pas la même maman,
et tu ne le connaissais pas
quand tu étais petite !

– C'est une question difficile…

72

– Moi, je sais, tu l'aimes parce qu'il est mon papa, hein ?
– Oui, maintenant, je l'aime aussi pour ça, mais quand je l'ai rencontré,
il n'était pas ton papa, puisque tu n'étais pas né !

– Alors, dis-moi pourquoi tu as voulu qu'il soit mon papa ?
– Parce qu'il avait un beau sourire et, dans ses yeux,
je voyais d'autres sourires qu'il ne faisait que pour moi...
Et aussi parce qu'il faisait de jolis dessins,
et que c'était aussi beau que ce qu'il y avait dans sa tête.
– Oh, je vois bien que tu préfères ses dessins aux miens !
– Non Petit Ourson, j'aime aussi tes dessins
car ils parlent de toi et de ce que tu aimes.

– Et madame Bombinours, tu l'aimes ?

– Oui, je l'aime bien.

– Pourtant, elle est pas ta sœur !

– Non, c'est juste notre voisine.

– Pourquoi tu l'aimes bien ?

– Parce qu'elle est gentille, et qu'elle a toujours
quelque chose à donner : un gâteau, un sourire…

– Et le vilain monsieur de l'ascenseur qui ne dit jamais bonjour, tu l'aimes ?

– Non, pas beaucoup… mais c'est peut-être parce que je ne le connais pas.

– On a le droit, hein, de ne pas aimer quelqu'un ?

– Oui, on a le droit de choisir ceux qu'on aime.

– Et ceux qu'on n'aime pas, on a le droit de les attaquer ?
– Mais non, petit coquin ! Tu n'es pas obligé d'inviter
ceux que tu n'aimes pas à faire la fête avec toi,
mais tu ne dois pas leur faire de mal.

– Et si je les invite à mon anniversaire ?
– Ils se mettront peut-être à t'aimer, et toi aussi ! C'est une belle idée !

– On aime combien de gens ?
– Ça dépend du cœur qu'on a… Il y a des gens qui ont de la place, et d'autres pas.
Parfois, on a un grand cœur, mais il y a quelqu'un dedans qui tient toute la place…

– Papa, il tient toute la place, hein, dans ton coeur ?
– Non, quand tu es né, il s'est poussé pour te faire la place qu'il te faut…
Et maintenant tu vas dormir, Petit Ourson !

– Oui, mais dis-moi encore que tu m'aimes !
– Je t'aime, mon petit ourson chéri, bonne nuit…

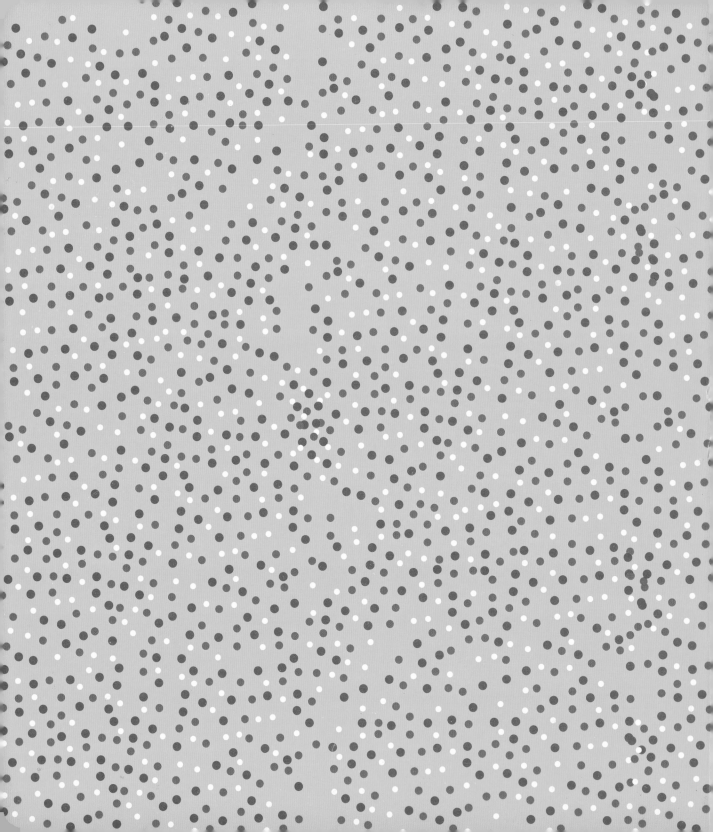